Les Ballerines Magiques

Le grand bal masqué

Merci à Linda Chapman

Cet ouvrage a initialement paru en langue anglaise
chez HarperCollins Children's Books sous le titre :
Delphie and the Masked Ball

© HarperCollins Publishers Ltd. 2008 pour le texte et les illustrations
Illustrations de Katie May

L'auteur/l'illustrateur déclare détenir les droits moraux
sur cette œuvre en tant qu'auteur/illustrateur de cette œuvre.

© Hachette Livre 2009 pour la présente édition

Adapté de l'anglais par Natacha Godeau

Colorisation des illustrations et conception graphique : Lorette Mayon

Hachette Livre, 43 quai de Grenelle, 75015 Paris

Darcey Bussell

Les Ballerines Magiques

Le grand bal masqué

hachette
JEUNESSE

Voici Daphné Beaujour

Elle vit des aventures extraordinaires !
Pourtant, elle n'a que neuf ans.
Sa passion, c'est la danse classique.
Elle rêve de devenir danseuse étoile…
Un jour, son professeur lui confie une paire
de chaussons magiques : ils ont le pouvoir
de la transporter à Enchantia, le monde
des ballets ! À elle maintenant de protéger
le royaume enchanté de tous les dangers…

À l'école de danse

Le *Cours de Danse de Madame Zarakova* est une école extraordinaire. Daphné s'en rend vite compte !

Madame Zarakova, qu'on appelle Madame Zaza, est mystérieuse, et connaît de fabuleux secrets !

Tiphaine et Julie sont les meilleures amies de Daphné. Mais elles ne savent rien d'Enchantia…

Giselle considère Daphné comme sa rivale car, sans elle, elle serait l'élève la plus douée du cours !

Les habitants d'Enchantia

Le Roi Tristan, son épouse la Reine Isabella
et leur fille la belle Princesse Aurélia
vivent au palais royal,
un magnifique château de marbre blanc.

La Fée Dragée aide
Daphné à veiller
sur Enchantia.
D'un coup de baguette
magique, elle peut réaliser
les tours les plus
fantastiques.

Le Roi Souris déteste la danse.
Il habite un sombre château,
sur la montagne, avec sa cruelle armée.
Il n'a qu'un but dans la vie :
chasser le bonheur d'Enchantia.

*Un pied en avant, la tête penchée,
Daphné attend que la musique
commence. Elle admire ses chaussons
rouges. Les autres élèves du cours
en portent des roses. Mais les siens sont
spéciaux. C'est Madame Zarakova,
son nouveau professeur, qui les lui a
confiés. Et Daphné a vite percé
leur secret : ils sont magiques ! Dès que
c'est nécessaire, ils la conduisent
à Enchantia, le monde des ballets.
Car la jeune Daphné est chargée
d'empêcher le cruel Roi Souris
de bannir la danse du royaume
enchanté…*

1. Répétition générale

Daphné s'immobilise, une jambe tendue en arrière, les bras ouverts.

Elle est l'Oiseau Bleu, celui qui apporte la lumière ! Autour d'elle, le reste de la scène est plongé dans le noir. Soudain, les spots

s'allument un à un, comme si le soleil revenait sur la forêt du décor.

Les autres ballerines, qui portent aussi des costumes d'animaux, apparaissent auprès de Daphné. Elles regardent partout d'un air émerveillé. Puis elles se mettent à danser ensemble pour le tableau final.

Daphné évolue avec grâce sur la scène. Elle pense au grand théâtre d'Enchantia, où vivent les héros des ballets. Elle seule le connaît, car elle possède les chaussons rouges, les chaussons magiques !

La musique s'arrête. Les ballerines saluent et Madame Zaza applaudit ses élèves.

— Excellente répétition générale ! Allez vous changer. Je prépare mes remarques par écrit, et vous serez fin prêtes pour le jour du spectacle !

Daphné s'étire. Ses muscles lui font mal ! Tiphaine et Julie la félicitent.

— Tu as trop bien dansé, Daphné !

— C'est gentil, Julie ! Mais j'ai fait des erreurs…

— Moi, je ne les ai pas vues, assure Tiphaine.

— Moi, si ! lance une voix, dans leur dos.

Elles se retournent et...

— Giselle !

Julie fronce les sourcils. Tiphaine lance :

— Ignore-la, Daphné. Elle est jalouse !

Daphné hoche la tête. C'est possible : Giselle rêvait de jouer le premier rôle du ballet, et elle n'a eu que celui du petit lapin...

— Ce n'est pas normal ! reprend Giselle en s'éloignant. Madame Zaza aurait dû me choisir pour interpréter l'Oiseau Bleu ! Je suis la meilleure de la classe !

Daphné est moins joyeuse, maintenant. Mais elle décide de faire comme si de rien n'était. Elle s'efforce de sourire, et les trois filles regagnent les coulisses.

Tout à coup, Giselle surgit en face d'elles et bouscule Daphné, qui tombe par terre.

— Aïe ! gémit Giselle. Mon coude ! Tu pourrais faire attention !

— C'est *toi* qui m'es rentrée dedans ! proteste Daphné.

Elle se relève et…

— Ouille ! Ma cheville ! J'ai très mal, je ne peux pas poser le pied !

Tiphaine court chercher

Madame Zaza. Julie accuse
Giselle :

— Tu l'as fait exprès ! Comme
tu es la doublure de Daphné, tu
t'es dit que si elle se blessait, tu
jouerais l'Oiseau Bleu à sa place !

— Non, c'est un accident! répond Giselle, rouge comme une pivoine.

Madame Zaza arrive à grands pas.

— Que se passe-t-il?

— Je me suis tordu la cheville, répond Daphné en ravalant ses larmes.

Elle hésite une seconde. Doit-elle raconter que Giselle l'a poussée exprès? Après tout, elle n'en

est pas sûre… Et puis, dénoncer les autres, ce n'est pas son genre !

— J'ai juste trébuché, explique-t-elle.

Giselle lui jette un regard reconnaissant. Mais Tiphaine et Julie s'étranglent presque d'étonnement.

— Ce n'est pas tout, Daphné ! La vérité, c'est…

— C'est la vérité ! les interrompt-elle.

— Montre-moi ça, Daphné, dit alors Madame Zaza.

Elle examine la cheville de la fillette. Elle la tourne doucement à droite, à gauche… Daphné sur-

saute de douleur. Par chance, elle peut encore bouger les orteils !

— Je pense qu'il s'agit d'une foulure, la rassure Madame Zaza. Tout devrait rentrer dans l'ordre d'ici une bonne semaine.

— Une semaine ! répète Daphné, désespérée. Et le spectacle ?

— Tu ne seras pas guérie à temps, soupire le professeur. Mais vois un médecin dès ce soir, surtout !

2. Une visite inattendue

Daphné reste à la maison, aujourd'hui. Hier soir, le médecin lui a diagnostiqué une entorse. Elle ne doit pas danser pendant au moins quinze jours !

Étendue sur le canapé du salon, Daphné repose sa cheville.

Elle écoute le CD du *Lac des Cygnes*, de Tchaïkovski. Elle essaie de se changer les idées.

Elle a travaillé dur, pour obtenir le rôle de l'Oiseau Bleu… Et maintenant, Giselle va prendre sa place au spectacle. C'est trop injuste !

Plus Daphné y pense, plus elle soupçonne Giselle d'avoir fait exprès de la bousculer. Et plus elle a de mal à retenir ses larmes !

Alors, elle se concentre sur la musique.

Elle connaît ce passage du *Lac des Cygnes* par cœur. C'est le moment où le Prince admire Odette, au clair de lune…

Daphné soupire. Ça lui donne encore plus envie de danser !

Elle regarde ses chaussons rouges, près du canapé.

Elle voudrait tant qu'ils se mettent à briller et qu'ils l'emportent à Enchantia ! D'accord, ça voudrait dire que ses amis du royaume des ballets ont des problèmes…

Mais tant pis : Daphné aimerait

quand même qu'ils viennent la chercher !

Elle se penche en avant, ramasse ses chaussons magiques et les enfile.

« Si seulement je pouvais danser ! » se dit-elle.

Elle noue les rubans de satin autour de ses chevilles quand soudain, on sonne à la porte d'entrée…

Elle entend sa mère ouvrir, puis appeler :

— Daphné, tu as de la visite ! C'est Giselle, du cours de danse !

Daphné grimace. Oh non, surtout pas Giselle ! « Je suis sûre qu'elle vient se réjouir de mon malheur ! » soupire-t-elle.

Tout à coup, ses orteils la picotent bizarrement.

Elle baisse les yeux : ça alors, ses chaussons rouges scintillent à ses pieds !

Un frisson remonte à présent le long de ses mollets… Et Daphné se met à danser malgré elle !

Elle pirouette dans les airs. Elle tourne si vite que tout devient flou, autour d'elle. Une brume multicolore tourbillonne et…

Pof ! Daphné atterrit dans une magnifique chambre à coucher.

Daphné

« C'est bizarre. D'habitude, j'arrive à Enchantia par le grand théâtre… »

La pièce est toute ronde, comme si elle se trouvait dans une tour. Il y a une haute fenêtre, un lit à baldaquin, et un tapis blanc moelleux.

— Daphné ! s'exclame une belle jeune fille en accourant, les bras tendus.

Elle porte une robe bleu ciel, et un diadème d'argent posé sur ses longs cheveux bruns.

— Princesse Aurélia !

Le cruel Roi Souris avait voulu forcer la Princesse à l'épouser, et

c'était Daphné qui l'avait sau-
vée !

— J'espérais bien que les
chaussons rouges t'amèneraient
vite ! reprend Aurélia.

— Alors, il y a un gros pro-
blème, devine Daphné.

Elle en oublie déjà ses propres
soucis ! Elle ajoute :

— C'est encore l'horrible Roi
Souris ?

— Jette un coup d'œil par la
fenêtre ! Tu vas voir…

La fillette en croit à peine ses
yeux.

La cour du palais est envahie
d'animaux : des oiseaux, des

chats, des chiens, des chevaux, des cerfs, des chèvres… Ils piaillent, miaulent, aboient, hennissent, brament, bêlent tous en même temps !

— Pourquoi est-ce qu'il y a autant d'animaux ? s'étonne Daphné.

— Mais ce ne sont pas des animaux, justement ! s'écrie la Princesse. Ce sont les amis de mes parents. Et le Roi Souris les a transformés !

3. Vengeance !

La Princesse Aurélia se tord les mains de désespoir.

— Tout est ma faute, Daphné ! Mes parents rentrent cet après-midi de leur tour du royaume. Pour les accueillir, j'ai organisé un bal masqué sur le thème des

animaux. J'ai fait fabriquer des masques, et j'ai invité tous nos amis…

— C'est une excellente idée, répond la ballerine.

— Sauf que je n'ai pas invité le Roi Souris !

Daphné frissonne.

— Beurk ! Pas lui, bien sûr ! En plus, il déteste la danse !

— Mais il adore manger, explique Aurélia. Quand il a appris que je donnais aussi un grand banquet, il est entré dans une rage folle ! Pour se venger, il nous a jeté un mauvais sort : dès que quelqu'un enfile un masque, il se transforme en animal !

La Princesse retient ses larmes.

— Mes parents reviennent dans deux heures à peine. Oh, Daphné ! Je t'en prie, aide-moi !

La fillette ne veut pas abandonner son amie. Mais elle ne sait pas quoi faire non plus…

— On va trouver une solution, promet-elle quand même.

D'ailleurs, la Fée Dragée pourrait leur être utile ! Pourquoi n'est-elle pas là ? Daphné le demande à Aurélia.

— Elle enquête au château du Roi Souris, explique la Princesse. On dit qu'il y garde une potion qui annule le sort, au cas où l'un

34

de ses amis enfilerait un masque et se transformerait. Grâce à cet antidote, tous nos invités pourraient reprendre forme humaine !

Soudain, quelques notes de musique légère s'élèvent dans la pièce. Une douce odeur sucrée emplit l'atmosphère… et la Fée Dragée apparaît !

— Coucou, Daphné !

La fillette est si heureuse de la revoir, avec son joli tutu mauve et son petit chignon serré sur la tête !

Daphné s'élance dans ses bras, et réalise qu'elle n'a plus mal du tout à la cheville ! Ça alors… ça doit être la magie d'Enchantia !

— Tu rapportes la potion, Fée Dragée ? s'inquiète la Princesse Aurélia.

— Pas encore. Mais je sais où elle est !

— Dans le château du Roi Souris ?

— Non, Daphné ! Depuis

qu'on a délivré Casse-Noisette, le Roi n'a plus confiance en ses soldats. Il a caché l'antidote sur l'île interdite, au milieu du lac ensorcelé.

À ces mots, la Princesse fond en larmes.

— Alors tout est fichu. Personne ne peut aller là-bas !

Daphné réfléchit. Elle sait que les pouvoirs du Roi Souris sont trop puissants pour que la Fée Dragée les transporte par magie à l'intérieur de son château. Mais à l'extérieur, c'est peut-être différent ?

— Pourquoi tu ne nous transportes pas sur l'île, Fée Dragée ? On récupère la potion, et tu nous fais réapparaître au palais royal.

La fée secoue la tête d'un air désolé.

— Impossible. Le lac se trouve sur les terres du Roi Souris. Mes pouvoirs sont trop faibles ! Le mieux que je puisse faire, c'est

nous envoyer tout près de la forêt enchantée, juste à côté du château.

— Eh bien, c'est parfait: on n'aura plus qu'à se glisser discrètement jusqu'au lac et à le traverser!

— Sauf que le lac est ensorcelé, Daphné. On ne peut pas faire ça!

À nouveau, la Princesse Aurélia éclate en sanglots. Daphné insiste:

— Il faut bien tenter quelque chose! On va d'abord dans la forêt et après, on improvise.

— D'accord, répond la Fée Dragée. Donne-moi la main!

Et elle entraîne la fillette dans les airs !

— Bonne chance ! leur crie Aurélia.

«Oui, on en aura bien besoin !» se dit Daphné tandis qu'elle s'envole en pirouettant avec la fée…

4. Au lac ensorcelé

Et…

Pof ! Daphné et la Fée Dragée atterrissent dans la forêt enchantée.

Par-delà les arbres, on aperçoit le sombre château du Roi Souris, avec son donjon et ses douves.

Daphné se pince le nez : ça ne sent vraiment pas bon ! Le Roi adore chercher sa nourriture dans les poubelles, et il entasse les ordures devant chez lui...

— Où est le lac ? chuchote Daphné.

Il ne faudrait pas que les soldats du Roi les entendent... Ils surveillent le coin, et ils sont

effrayants, avec leur épée et leurs dents pointues !

— À gauche, près du château, répond tout bas la fée.

Elles avancent avec prudence.

Chaque fois qu'une brindille craque sous leurs pieds, Daphné a peur de se faire repérer…

Enfin, elles parviennent à la lisière de la forêt. Le lac ensorcelé s'étend au loin, immense et menaçant.

Au milieu de l'eau, l'île interdite. C'est un bout de terre sur lequel se dressent des arbres morts. Et derrière eux, on devine une grosse tour de pierre grise.

— Il faut traverser la clairière jusqu'à la rive du lac, dit la Fée Dragée. Attention à l'armée du Roi Souris : dès qu'on aura quitté les bois, je n'aurai plus le pouvoir de nous faire disparaître !

Elle regarde à droite et à gauche, puis elle murmure :

— La voie est libre !

Elle fait un pas dans l'herbe…

quand Daphné la tire en arrière. Ouf, juste à temps : une patrouille passe !

Les souris géantes marchent en rythme. Leurs bottes frappent le sol.

Daphné et la Fée Dragée n'osent pas bouger d'un cil. Elles retiennent leur souffle, leur cœur bat à cent à l'heure…

Enfin, la patrouille s'éloigne. Elles l'ont échappé belle !

— Merci, Daphné ! La patrouille ne repassera pas avant un petit moment. Profitons-en !

Et les deux amies traversent la clairière en courant.

De près, le lac est encore plus inquiétant. Daphné imagine bien le genre de créatures sous-marines qui s'y cachent... Pas question de nager là-dedans !

— On pourrait aller sur l'île en barque ? propose-t-elle.

La Fée Dragée secoue la tête.

— Tous les bateaux coulent : les eaux sont ensorcelées.

— Et en radeau, alors ? On ne sait jamais, ça pourrait marcher...

La fée n'y croit pas trop. Mais elle agite quand même sa baguette magique. En un éclair, un radeau et deux rames apparaissent dans l'herbe.

Daphné se dépêche de grimper dessus. Il n'est pas très stable, il remue dans tous les sens ! La Fée Dragée embarque à son tour.

D'un coup de rame, elles s'écartent de la berge…

Et le radeau se met à tournoyer sur lui-même à toute vitesse ! Les deux amies ont beau essayer d'avancer, rien n'y fait. Elles se cramponnent à leur rame pour ne pas tomber à l'eau.

Le radeau tourne vite, de plus en plus vite !

Brusquement, il repart en sens inverse et percute le rivage. Sous le choc, Daphné et la Fée Dragée sont éjectées et s'écrasent dans l'herbe.

Daphné est soulagée de ne pas avoir plongé dans le lac !

— Les radeaux coulent aussi, constate la Fée Dragée.

— On ne peut ni nager, ni naviguer. Il ne nous reste plus qu'à voler !

—Je regrette, Daphné, sur les terres du Roi Souris, je n'ai pas assez de magie pour ça...

Mais soudain, la fée pense à quelque chose. Elle se met même à sourire !

— Qu'est-ce qu'il y a? demande Daphné.

— Les cygnes, bien sûr ! explique la Fée Dragée. Ce sont mes amis, ils vont nous aider !

5. Prisonnières !

La Fée Dragée brandit sa baguette magique. Aussitôt, la musique du *Lac des Cygnes* résonne dans la clairière !

—J'appelle les cygnes grâce au pouvoir d'Enchantia. Danse avec moi, Daphné !

La fée s'élance à petits pas, pointes tendues. Elle bondit dans les airs, le bras gauche au-dessus de la tête, la jambe levée derrière elle. Elle atterrit en douceur, et recommence.

Daphné hésite d'abord à la suivre. Elle a peur de se faire mal à

la cheville ! Enfin, elle se lance. Et surprise : elle est complètement guérie !

Daphné s'applique. Elle saute avec légèreté, battant des bras comme un cygne battrait des ailes. C'est si bon de danser à nouveau !

Maintenant, la Fée Dragée pirouette sur une jambe, les bras sur le côté. Daphné reconnaît ce célèbre passage du ballet : elle l'a vu des centaines de fois à la télévision !

Elle essaie d'imiter son amie, mais elle ne sait faire que les *demi-pointes* ! Elle pirouette, fléchissant

le genou puis se redressant. Au deuxième tour, Daphné perd l'équilibre ! Heureusement, la fée continue !

Soudain, douze immenses cygnes blancs apparaissent dans le ciel.

— Oh ! s'exclame Daphné, stupéfaite.

La Fée Dragée s'arrête. Les cygnes se posent en cercle autour d'elles. L'un d'entre eux avance d'un pas majestueux.

— Odeline, commence la Fée Dragée, je te présente Daphné. C'est elle, la ballerine aux chaussons magiques !

— On parle beaucoup de toi,
au royaume enchanté, Daphné !
Tu nous as souvent aidés. Je suis
très honorée de te rencontrer !

— Moi aussi, mademoiselle
Odeline, murmure la fillette.

La beauté de l'oiseau l'intimide. Elle s'incline avec respect. Tous les cygnes baissent la tête en retour.

Odeline lance alors un coup d'œil inquiet en direction du château.

— Pourquoi est-ce que tu nous as appelés, Fée Dragée ? Tu sais que nous préférons éviter cet endroit… La dernière fois que nous avons survolé les terres du Roi Souris, ses archers nous ont tiré dessus. Deux d'entre nous ont été blessés !

— C'est monstrueux ! s'exclame Daphné.

La Fée Dragée hoche la tête.

— On n'a besoin de vous que peu de temps. Le Roi Souris a jeté un mauvais sort au palais royal. Et il cache l'antidote sur l'île interdite. Vous pourriez nous transporter jusque là-bas?

— Tout ce que tu voudras, si c'est pour lutter contre le Roi Souris! répond Odeline.

Elle se tourne vers sa troupe de cygnes.

— Oda! Tu prends la Fée Dragée sur ton dos. Je me charge de Daphné!

— En route! lance Oda.

La fée s'assoit bien droite

entre ses ailes. Odeline rassure Daphné.

— Accroche-toi fort à mes plumes. Tu ne risques rien !

La fillette grimpe sur le dos de l'oiseau. Elle replie haut les genoux. Le cygne déploie ses ailes… et décolle !

En moins d'une minute, Odeline et Oda volent jusqu'à

l'île interdite. Elles se posent en douceur sur le toit de la tour grise. Il y a là une trappe en bois, avec un anneau métallique. Elle est si lourde que Daphné et les cygnes doivent aider la Fée Dragée à l'ouvrir !

Daphné se penche au-dessus du trou. Un escalier s'enfonce dans l'obscurité. C'est très effrayant, mais c'est la seule façon d'entrer dans la tour…

Daphné prend une profonde inspiration, et descend la première marche.

— Non, attends ! s'écrie la Fée Dragée.

Elle agite sa baguette magique : une lumière argentée vient éclairer l'escalier. Puis elle dévale les marches avec Daphné.

Les deux amies débouchent dans une grande salle en pierre. Un coffre noir trône sur une table. Daphné soulève le couvercle et découvre un flacon rouge. Et quand la fée le touche du bout de sa baguette, des étincelles jaillissent !

— C'est bien l'antidote ! confirme-t-elle.

— On n'a plus qu'à rentrer au palais ! se réjouit Daphné en ramassant la fiole.

Quelques minutes plus tard, Odeline et Oda regagnent la rive du lac. Daphné et la Fée Dragée sautent à terre.

— Merci ! dit la fillette.

— J'ai été ravie de t'aider ! répond Odeline.

Et les cygnes s'envolent en criant « au revoir » à Daphné et à la Fée Dragée.

— Retournons vite dans la forêt enchantée, chuchote la fée. Là-bas, ma magie pourra nous renvoyer au palais.

Elles s'apprêtent à traverser la clairière… quand une patrouille armée les aperçoit. Furieux, les soldats brandissent leur épée et courent vers elles !

— Oh non ! gémit la Fée Dragée. Fonce, Daphné !

Elles se précipitent vers la forêt. Mais trop tard : les gardes du Roi Souris leur barrent déjà le chemin !

6. L'attaque

— Plus un geste ! crie un soldat. Vous êtes nos prisonnières, on va vous conduire au Roi !

Daphné et la Fée Dragée sont cernées, pas moyen de s'échapper.

Mais elles ne veulent surtout pas se retrouver face au cruel Roi

Souris ! Daphné commence à paniquer quand, soudain :

— Tenez bon, on arrive !

Elle lève la tête. Les cygnes reviennent les aider ! D'un grand coup d'ailes, Odeline plonge vers la fillette et ordonne :

— Grimpe !

Sans hésiter, Daphné saute sur le dos du cygne qui repart aussitôt. Elle se cramponne aux plumes blanches de l'oiseau tout en serrant fort le flacon contre son cœur. Oda et la Fée Dragée les suivent de près.

— Ne les laissez pas s'enfuir ! ordonne le chef de la garde. Le Roi Souris ne nous le pardonnerait jamais !

Mais ça ne sert à rien. Odeline et Oda s'éloignent à toute vitesse dans le ciel, tandis que les autres cygnes assurent leurs arrières. Ils piquent droit sur les soldats et les attaquent à coups de bec !

— Aïe ! Ouille ! gémissent les gardes en se sauvant dans tous les sens.

Vite, ils courent s'abriter au château et referment la porte en hurlant.

Odeline éclate de rire.

— Bien fait pour eux ! Ça leur apprendra à nous tirer des flèches dessus !

Daphné s'agrippe à son cou en riant. Le danger est passé. Elle peut se détendre !

— Merci, Odeline !

— Par chance, on vous a entendues crier, répond l'oiseau. Maintenant, on va vous raccom-

pagner au palais royal. Ce sera plus prudent ! Ce sera l'occasion de revoir le Roi Tristan et la Reine Isabella !

Daphné sourit. Quel bonheur d'être escortées par douze cygnes !

Elle regarde le paysage défiler sous ses pieds. Des champs, des rivières, des collines et des mou-

tons. La place du village, où les habitants sont en train de danser. La maison de la Fée Dragée, aussi, avec son incroyable jardin fleuri…

Odeline file comme le vent. Daphné a l'impression de faire la course avec les nuages !

Bientôt, le palais royal est en vue. Voyager à dos de cygne, c'est rapide !

— Regardez ! dit la Fée Dragée.

Elle désigne la route de la colline. Le carrosse d'or des souverains d'Enchantia n'est plus qu'à quelques kilomètres du palais !

— Ils rentrent déjà ! Vite, on n'a pas une seconde à perdre !

— Ne vous inquiétez pas, dit Odeline. On arrivera avant eux...

À son signal, les cygnes accélèrent. Et cinq minutes plus tard, ils se posent tous dans la cour principale. Des dizaines d'animaux y attendent toujours. C'est impressionnant... et bruyant !

La Princesse Aurélia sort du palais en courant. Elle est éton-

née : elle n'attendait pas la visite de ses amis les cygnes !

— On a la potion ! s'exclame Daphné. Et c'est grâce à Odeline et aux autres ! Mais il faut se dépêcher. Le carrosse de tes parents est tout près !

La Fée Dragée verse le liquide magique dans trois flacons de verre. Comme ça, elles pourront travailler en même temps !

— Je commence ! déclare-t-elle.

Elle verse une goutte d'anti-dote sur un grand cheval, au milieu de la cour. Un éclair rouge illumine la cour. Le hennisse-

ment du cheval se transforme peu à peu en rire. Et...

— Ah ! Je suis redevenu moi-même ! s'écrie l'invité.

Il est à nouveau humain, avec sa belle tunique dorée et son masque de cheval.

— À notre tour, Daphné ! lance Aurélia.

À elles trois, elles ont vite fait de retransformer tous les invités !

— On a réussi ! s'exclame Daphné quand elles ont terminé.

— Préparons vite le bal masqué, dit la Princesse. On n'a plus beaucoup de temps !

7. Au bal masqué

C'est la panique dans la cour du palais ! On court partout. Tout le monde se met en place !

Les domestiques se dépêchent. Ils apportent les plats, et les installent sur les nappes brodées qui décorent les nombreuses tables.

On apporte une pièce montée géante recouverte de glaçage à la vanille. Les boissons sont servies dans des timbales en argent.

Enfin, l'orchestre accorde ses instruments et les musiciens entament un morceau joyeux. Daphné a immédiatement envie de danser !

La Fée Dragée virevolte à travers la cour, touchant les arbres de sa baguette magique. D'énormes fruits parfumés apparaissent sur les branches. Ça sent bon dans tout le royaume !

Les invités enfilent leur masque et se regroupent près du portail en fer forgé. La Fée Dragée tapote l'épaule de Daphné du bout de sa baguette et...

La petite fille se retrouve habillée d'une robe de bal couleur rubis. La jupe est brodée de diamants, c'est magnifique !

— N'oublions pas l'essentiel ! ajoute la fée.

Elle tend un masque de cygne à Daphné. Au même instant, un valet souffle dans une trompette : il annonce l'arrivée du carrosse royal !

Odeline et ses amies dressent fièrement leurs ailes. Guillaume, le garde du château, ouvre la grande grille, et l'attelage pénètre dans la cour.

Le cocher stoppe les chevaux. Le Roi Tristan et la Reine Isabella descendent de voiture, l'air étonné.

— Qu'est-ce que c'est que tout ça ? souffle le Roi.

— Surprise ! s'exclame Aurélia.

J'ai organisé ce grand bal masqué pour fêter votre retour. Tous vos amis sont là. Mais ça n'a pas été facile. Sans Daphné et la Fée Dragée, on aurait eu de gros problèmes !

La Reine Isabella les remercie. Daphné s'incline avec grâce. La Fée Dragée donne un masque de chat à la Reine, et un masque de cerf au Roi.

— Que le bal commence ! lance alors ce dernier en riant.

Tout le monde se met à danser dans la cour. Daphné et la Fée Dragée valsent ensemble. C'est très gai !

« Un vrai bal de conte de fées ! » pense Daphné, émerveillée.

L'orchestre est fantastique. Le banquet est fabuleux. Il y a aussi des jongleurs, des cracheurs de feu et des bouffons…

Elle s'arrête un instant de danser, hors d'haleine, et se dirige vers Odeline.

— Tu t'amuses bien, Daphné ?

— Oui ! Merci encore de ton aide, Odeline !

— Je t'en prie, Daphné. Maintenant que tu as rempli ta mission, tu vas repartir dans ton monde ?

La fillette hoche la tête. Elle

préférerait rester un peu plus longtemps. Mais ses chaussons rouges brillent à ses pieds…

— On se reverra bientôt, promet le cygne.

— Je l'espère, répond la fillette. En tout cas, j'ai adoré voler avec toi dans le ciel !

La Fée Dragée s'approche, accompagnée d'Aurélia.

— C'est le moment de se dire au revoir, Daphné !

— Bon, eh bien, au revoir, alors…, soupire la fillette.

Elle embrasse ses amies. Puis ses chaussons rouges la font pirouetter, vite, de plus en vite. Une brume multicolore tourbillonne autour d'elle et…

8. Le jour du spectacle

Pof! Daphné atterrit sur son canapé !

C'est comme si rien ne s'était passé. Même sa belle robe a disparu !

Heureusement, le temps ne s'écoule pas de la même façon, à

Enchantia… La petite fille se retrouve chez elle pile au moment où elle en était partie !

Sa mère ouvre la porte du salon.

— Giselle vient te rendre visite ! Ça ne te fait pas plaisir, Daphné ?

— Si, si, bredouille-t-elle. Salut, Giselle…

Elle s'efforce de sourire.

— Salut, Daphné. Je t'ai apporté un cadeau…

Giselle semble aussi embarrassée que Daphné.

— Je vous laisse, dit Mme Beaujour. Je vais vous préparer un goûter !

Elle quitte le salon. Daphné fixe Giselle sans comprendre. Pourquoi son ennemie lui offrirait un cadeau ? C'est n'importe quoi !

« À moins que ce ne soit un truc horrible ! »

Elle déchire le papier rose avec méfiance, et découvre une jolie ballerine en porcelaine.

— Ça alors! murmure Daphné. Merci…

— Je suis désolée! s'écrie Giselle. Je ne voulais pas te bousculer, à la répétition. C'était vraiment un accident. J'avais oublié

mes oreilles de lapin sur scène et je courais les rechercher. Et toi, alors que tu étais sûre que je l'avais fait exprès, tu n'as rien dit à Madame Zaza! Tu as été super gentille. Je regrette, pour ton entorse…

— Mon entorse!

Daphné a tellement dansé, à Enchantia. Elle avait oublié sa cheville blessée! Elle pose délicatement le pied par terre, pour voir…

— J'aimerais tellement que tu puisses danser *L'Oiseau Bleu*! continue Giselle. Au fait, comment va ta cheville?

Daphné agite ses orteils. Tout est parfait !

— Je n'ai plus mal du tout ! s'écrie-t-elle en se redressant.

Sa mère entre à cet instant avec des biscuits et du chocolat chaud.

— Tu es courageuse, Daphné.

Mais le docteur a dit de patienter deux semaines.

— Je sais, maman. Mais regarde !

Elle monte sur les *demi-pointes*, avance à petits pas, puis lève la jambe en arrière, dans la position de l'Oiseau Bleu.

— Tu vois ? Je suis complètement guérie !

— Génial ! dit Giselle. Tu peux reprendre ton rôle dans le spectacle !

Mme Beaujour écarquille les yeux.

— C'est un vrai miracle ! dit-elle, stupéfaite.

«Non, c'est la magie d'Enchantia!» pense Daphné en pirouettant sur elle-même avec sa statuette.

Le ballet de *L'Oiseau Bleu* est un grand succès!

À la fin de la représentation, les ballerines saluent le public. Daphné n'a jamais aussi bien dansé! Dans la salle, ses parents applaudissent fort, l'air très fier. Daphné jette un coup d'œil à ses amies, sur scène. Tiphaine et Julie lui sourient à pleines dents! En coulisses, Madame Zaza lui adresse un petit signe de tête…

Aussitôt Daphné avance d'un pas et salue d'une belle révérence. Les spectateurs, ravis, acclament les ballerines !

Daphné sent son cœur bondir de joie. Elle fait un triomphe dans le rôle principal du ballet. Et elle vit aussi de fabuleuses aventures à Enchantia…

Elle a hâte de savoir ce qui l'attend la prochaine fois !

FIN

Invitation !

Je t'invite à partager mes prochains
voyages à Enchantia,
le monde merveilleux des ballets !
Rejoins-moi vite
dans mes autres aventures !

1. Daphné au
royaume enchanté

2. Le sortilège
des neiges

4. Le bal
de Cendrillon

Pour savoir quand sortira le prochain tome
des Ballerines Magiques, inscris-toi à la newsletter
du site www.bibliothequerose.com

Comme Daphné, tu adores la danse ?
Alors voilà un petit cadeau pour toi…

Darcey Bussell est une célèbre
danseuse étoile. Tourne vite la page,
et découvre la leçon de danse exclusive
qu'elle t'a préparée !

Ma petite méthode de danse

L'Arabesque

Tu as sûrement déjà admiré cette pose de ballet. Il en existe plusieurs sortes. Voici la préférée de la Fée Dragée…

1.

Place-toi en Première Position* et glisse la jambe gauche en arrière, pointe tendue.

* Tu trouveras les six positions de base dans le tome 1 des Ballerines Magiques.

2.

Tends avec grâce
les deux bras en avant,
puis lève-les jusqu'au niveau
de tes épaules.

3.

Décolle la pointe gauche
du sol et lève la jambe
en étendant les bras
sur les côtés.

4.

Ramène le bras droit tendu
devant toi, puis maintiens
ton équilibre le temps voulu.